예술가의 노트

이 책을 보게 될 분들에게.

'예술가의 노트'는 2023년 경기문화재단의 지원을 받아 발행된 단행본입니다.

현재 다양한 매체를 융합하여 작품 활동을 하고 있는 시각예술작가 3인의 작품 제작 과정과 작가노트를 한눈에 볼 수 있도록 만들었습니다.

김아라는 입체와 회화적 성격을 융합한 전통 건축의 〈조각-회화〉를 실험하며 작업합니다. 서정배는 에세이를 기반한 회화, 드로잉과 설치로 작업을 하며, 이 책에는 〈드로잉-애니매이션〉 "Insomnia-Dream"의 제작 과정을 담았습니다. 최빛나는 '실재와 가상'의 풍경이 작가의 상상력과 함께 재구성된 〈회화〉 작업을 합니다.

이처럼 시각예술에서 다양한 기법을 통해 세 명의 작가가 구현하고 있는 창작의 시발점과 그 과정을 [예술가의 노트]라는 이름으로 소개합니다.

목차

김아라

Ah Ra Kim

어떤 대상들은

머릿속에 담아 놓으면

어느 순간 문득

완성의 모습이 떠오른다

어떻게 구현해야 하는지를

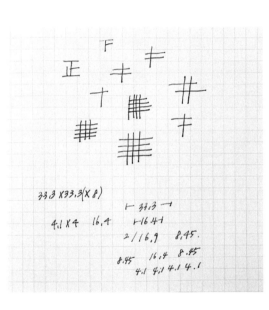

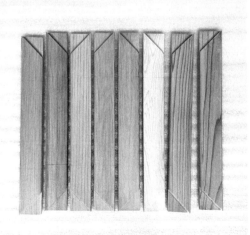

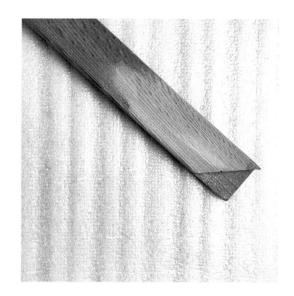

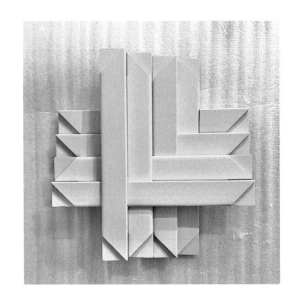

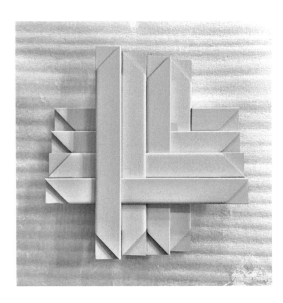

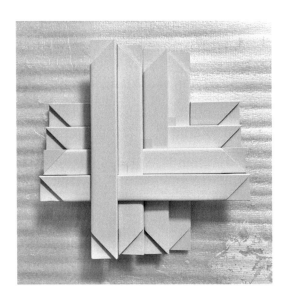

어느 날 나는 생각했다
내가 바라보는 대상들이 자연의 것들을
제외하고는 온통 수평과 수직으로
이루어져 있음을

인간에 의해서 만들어진 것
직사각형의 존재들이 대부분이고
그 속에 존재하는 정사각형

올곧아 보이는 1:1 비율의 대상은
직사각형보다 조금 더 인위적인
대상으로 다가온다.

우리는 정갈하게
인생을 그려 나갈 수 있을까?

나의 마음가짐과 행동, 다른 이들과의
관계를 맺어가고 살아가는 과정에서
정사각형을 그리듯 정갈할 때보다
그렇지 않은 순간이 많을 것이다.

그렇지 않은 순간들을 생각하며

작업하는 동안

한 획 한 획 그어나가 본다

www.ahrakim.com

〈정 Jeong 正〉

33.3 X 33.3 X 1 cm

acrylic and pigments on
woodframe for canvas

2023

서정배

SEO Jeong-Bae

불안(不安, anxiety)은

"편안하지 않고, 조마조마한 것"을 느끼는 감정이다.

포르투갈의 문인 페르난도 페소아(Fernando Pessoa)의 '불안의 서'에서 '나는 잠들고 잠들지 않는다'
라고 쓰고 있다. 불안은 그의 말처럼 잠들었을 때도 잠들지 않을 때도 느낄 수 있는 감정인 것이다.

나는 '불안'의 감정을 불면을 의미하는 'Insomnia'와 꿈을 의미하는 'Dream'을 붙여서 의식이 있을
때도 의식이 몽롱할 때도 불안은 지속된다는 것을 말하고자 하였다. 하지만, 이 영상의 마지막은 '빛'
을 품은 손에서 '나무'가 자란다. 그럼에도 불구하고, 불안함 속에서도 '희망'을 품고 사는 것, 그것이
살아간다는 것은 아닐까...

작가노트 중
https://www.seojeongbae.com/insomnia-dream-2022

2022 불안에 대한 원근법(The Perceptive on Anxiety)
고양아람누리 갤러리누리4전시장(Gallery Nuri in Aram Nuri Qrts Center)

Insomnia-Dream, Drawing-Animation, 00:02:05, 2022
음악(Music), 수상한 커튼(Mystery Curtain

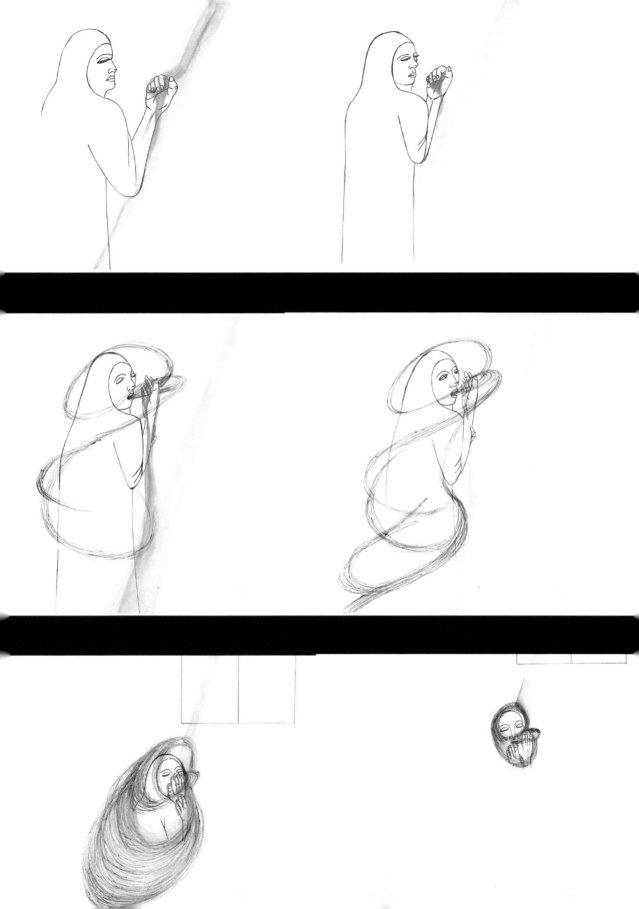

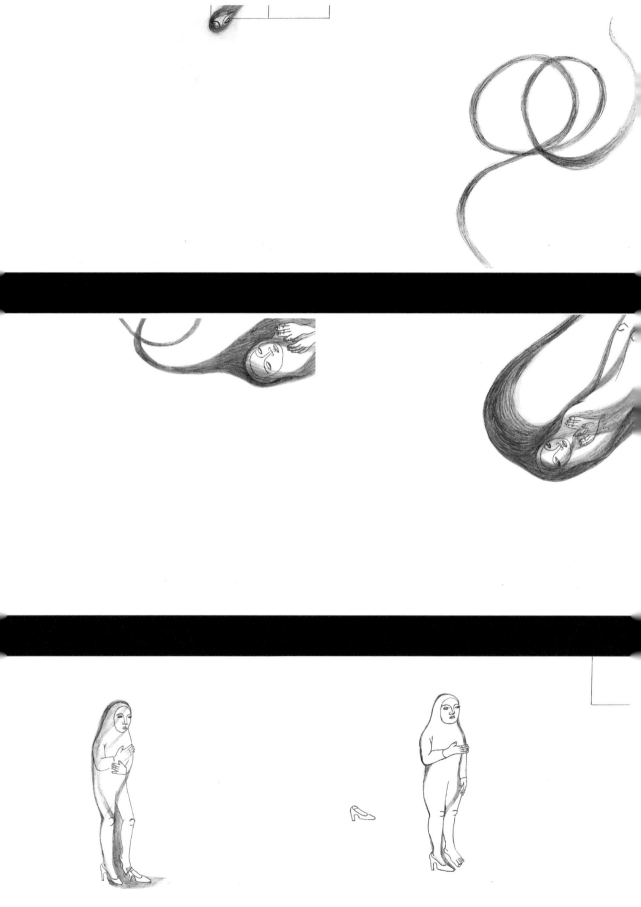

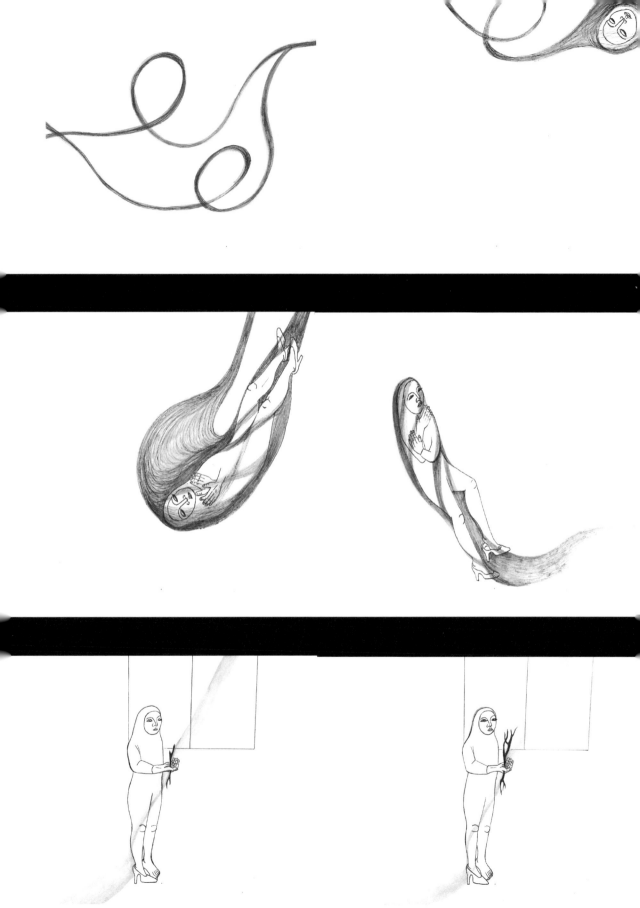

...한 고독은 말이 없다.'
...했다.

...하고 금니로 어금니를 보완하였다.
...시 충치가 생겼다고 했다.
...처 넣기로 했다.

...난 시간을 떠올렸다.
...사랑이 끝났다.
...딸 영원한 것은 없는 것일까?

...을 찍는다.

...의 기억어딘가에 넣어두기로 했다.

...두 왔다.
...적이 없다는 이유로
...주를 마셨다.
...어울린다고 생각했고,
...렸다는 생각이 들었다.
...는 그 '무엇' 때문에 편치 않은 공허함을
...고 키키는 생각했다.
...고,

...그 사람은 신기하게도 다른 사람에겐
...가와 함께 있음에도 외롭다고 느낄 수
...외로운 일이라는 경험을 한다.

...제들이라는

...수 있으며,
...고 설명한다.

...인들에 대해 생각해 보았지만,
...다. 하지만, 누군가와 함께 있을 때,

...후라는 생각이 들었다.

...중, 낡은 검정 몰스킨노트 한 권이 떨어졌다.
...2009년의 일들이 마치 하나의 소설처럼 떠올랐다.
...사전에 따르면, 2009년은
...한 갈릴레오 부터 400년 된 것이다. 한국의 위키백과에서는
...해주었다" 라고 쓰고 있다. 한국의 위키백과에서는
...9년을 정리해 보며 이렇게 기록했다.
...알고 있던 사람과 그에 관한 기억을 소멸하는 것이

...오늘 아침, 키키는 세면대 앞에서 그런 생각을 했다.
...하는 곳이다.
...기 위해, 세면대로 간다. 갈지 않은 시간을 그녀에게 준다.
...는 얼굴은 매일 갈지만, 만족스런 일과를 정리하기도
...태도 확인하고, 저녁이 되면, 만족스런 일과를 정리하기도
...사전에서는 설명하고 있지만,

서정배_검은담즙_La Bile Noir 중 발췌

최 빛나

Binna Choi

우리동네에서
거의 20년 가까이 살아왔어

고향은 아닌데 그래도, 이를테면 고향같은 곳 여지
왜 이곳으로 오게 된 건지는 잘 모르겠지만
도시의 소시민이 으레 그렇듯, 아파트 평수를 늘리면서
좀더 아래로 아래로 ㄱ
그런 거겠지

여러 가지 이유로 집을 떠나있기도 했지만
우리 부모님, 동생, 강아지가 같이 살았던,
꽤 오랫동안 보금자리 였던 곳이야

어느날 문득,
둘러보니 많은 것이 변해 있더라고
아마 시작은 퇴근 하던 길에
다음 주면 잘려질 나무를 보는 순간에서 비롯 됐었던 것 같아

'이늘의 동네는 아직도 먼지가 풀풀 날려
이십년 동안도 뭔가 계속 공사 중이네'

그러다가
언제 이렇게 변했지? 가 되어버린 거야
그때의 생경함 이란

복합적인 감정들
내 앞의 언제 사라질지도 모를 저들같이, 우주의 둥둥 뜬 티끌 같은 내 하루가
소중하면서도

슬펐지
그래서 그럼, 남아있는 풍경들을 좀 그려보자 싶었어
도시의 경계에서 버티고 제멋대로 자라는 자연물에
시선이 가고
그것들을 막연히 끄적이며 작업을 시작 했어

계류자들

최기숙 작가의 책이었는데
제목이 꽤 마음에 들었어
다음 전시는 이 제목을 빌어와야겠다고 생각했지

언젠가 부터
존재하는 것, 그 너머의 것에 관념을 갖게 되었고
나의 다음 작업에는
초월적인 이야기들을 담아보고 싶다고 **상상하곤 했어**

어쩌면 초월적 것들에 대한 이야기를 한다는 것은
지금껏 내가 해왔던 작업,
- 남아 있는 것들을 생각하고 기록하는 것 - 과 맞닿아
있을 거야

어차피 내가 발견 했던 풍경은
그리고자 했던
그 대상 자체가 아니었으니까

지각의 대상이 낯설게 느껴질때의 묘한 감정들이
우리 삶의 미스터리 와 아이러니 라고 여겨져
그런 이야기를 하고 싶다는 생각이 몽글몽글 올라와

아직은 구상단계의 작업이라
다음 한 걸음을 어디로 디뎌야 할지
막막해

내가 그것들을 잘 이끌어
순수하게 작업으로 끌어들일수 있을지
약간 고민 되기도 하고

걷다보면
다가오는 것들이 있어

접힌 나뭇잎, 뱅뱅 돌아가는 거미줄에 얽힌 곤충
꺾인 채로 자라고 있는 풀
무엇 때문인지 모르겠지만 깔깔깔 웃고있는 할매들
어두운 큰 숲 사이로 어깨동무로 뛰어가는 아이 셋

모든 것들은
시공간을 넘어서 그날의 색과 공기, 바람, 소리 같은 것과 함께
각인돼.

그래서, 나는
'기록자가 아닐까'란 생각을 가끔 해

내가 살아있음을 매일 이미지로 남기는 '기록자'

나의 이미지가 혹시라도 남겨져서 먼 훗날
한 차례 멸망 후에
누군가에게 발견 됐을때
그것이 어떤 가치를 갖게될지 상상하기두 해

사실 아무 가치 없어도
상관 없긴 하지만.

예술가의 노트 _ 창작연구팀 복자식당

초판 1쇄 : 200부 발행
발행일 : 2023년 11월 29일
책크기 : 182 x 257(mm)
페이지수 : 36p
제본형태 : 세로중철
값 : 10,000원

글_그림 : 김아라, 서정배, 최빛나

디자인 : 드로잉테이블
인쇄 : 주손디앤피
발행 : 키키의시간_KiKiintime
        instagram@kikiintime_books

ISBN 979-11-985281-0-0(03650)